MORTS SOUS LA TAMISE

SCÉNARIO PIERRE CHRISTIN
DESSIN JEAN VERN

Mise en couleurs : Jean Vern, Jeannette Vern.

PARIS·BARCELONE·BRUXELLES·LAUSANNE·LONDRES·NEW YORK·STUTTGART

DARGAUD
EDITEUR

© **DARGAUD ÉDITEUR 1993**

Tous droits de traduction, de reproduction et d'adaptation strictement
réservés pour tous pays.

Dépôt légal Septembre 1993
ISBN 2-205-03923-7

Imprimé en France – Publiphotoffset, 93500 Pantin – en juin 1993
Printed in France

SCOTTISH
WIDOWS'
FUND

PENSIONS MANAGEMENT
(SWF) LTD

SCOTTISH WIDOWS' FUND
MANAGEMENT LTD

SCOTTISH WIDOWS'
TRUSTEES LTD

DANS LE MÉTRO MAL TENU ET BRINQUEBALLANT EN DIRECTION D'EAST LONDON, C'ÉTAIT AUSSI UN JOUR COMME UN AUTRE...

③

④

9

SUR LES PETITS VÉHICULES AUTOMATIQUES QUI, TEL UN SCENIC RAILWAY POUR GRANDS ENFANTS, SILLONNENT LE NOUVEAU QUARTIER DES DOCKLANDS, C'ÉTAIT ENCORE UN JOUR COMME UN AUTRE. PRESQUE COMME UN AUTRE.

⑤

EH, GROUILLE MICKY!

PUTAINS DE PORTES AUTOMATIQUES !!!

EST-CE LA PRÉSENCE DE TROIS DOCKERS AU CHÔMAGE QUI A FAIT RECULER LE DRAME ?

ALLEZ, RESTE AVEC NOUS, MICKY !

PAS DE REFUS LES GARS !

ÇA VIENT, JE L'SENS !

EH OH !

C'EST PAS VRAI !!!

HOLA!

OU BIEN L'ARRIVÉE D'UN PETIT GROUPE DE YUPPIES S'APPRÊTANT À ALLER DÉJEUNER LES PIEDS DANS L'EAU AU BORD DE LA TAMISE ?

TU AS EU TOKIO ?

JUSTE AVANT DE QUITTER LA BOÎTE.

DITES DONC, OLD BOYS, ON VA FAIRE UN DÉJEUNER FIN : VIN SUD-AFRICAIN, HOMARD DU MAINE, FROMAGES FRANÇAIS. ALORS LE BUSINESS....

TU SAIS BIEN QU'À LA FIN, ON SIGNE AUSSI UN CONTRAT DE TROIS MILLIARDS DE LIVRES STERLING.

ON VA MANGER UNE GLACE AU PARC ?

OU CELLE D'UN ESSAIM DE SECRÉTAIRES D'UNE FIRME HIGH-TECH, TOUTES COIFFÉES COMME LADY DI ?

ÇA FAIT RIEN

IL COMMENCE À PLEUVOIR

⑦

11

DANS LE CHARIVARI SOCIAL QUI ÉTAIT ALORS CELUI DES ANCIENS QUARTIERS DE LONDRES, EN TRAIN DE RENAÎTRE APRÈS AVOIR SOMBRÉ DANS LES FLOTS BOUEUX DU GRAND FLEUVE ET AVANT D'Y REPLONGER POUR CAUSE DE CRISE ÉCONOMIQUE, TOUT POUVAIT ARRIVER...

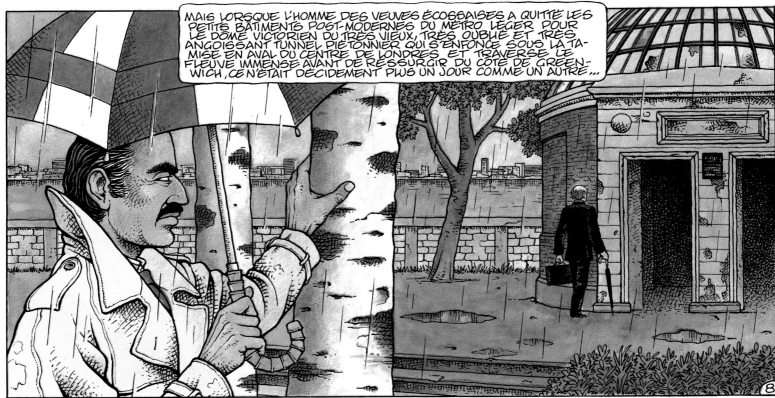

MAIS LORSQUE L'HOMME DES VEUVES ÉCOSSAISES A QUITTÉ LES PETITS BÂTIMENTS POST-MODERNES DU MÉTRO LÉGER POUR LE DÔME VICTORIEN DU TRÈS VIEUX, TRÈS OUBLIÉ ET TRÈS ANGOISSANT TUNNEL PIÉTONNIER QUI S'ENFONCE SOUS LA TAMISE EN AVAL DU CENTRE DE LONDRES ET TRAVERSE LE FLEUVE IMMENSE AVANT DE RESSURGIR DU CÔTÉ DE GREEN-WICH, CE N'ÉTAIT DÉCIDÉMENT PLUS UN JOUR COMME UN AUTRE...

8

EN TOUT CAS, POUR L'HOMME DES VEUVES ÉCOSSAISES GISANT SOUS QUELQUES MILLIARDS DE MÈTRES CUBES D'EAU, C'ÉTAIT LE DERNIER JOUR.

MÊME S'IL ÉTAIT, LUI, LE PREMIER DES MORTS SOUS LA TAMISE !

CE PREMIER DES MORTS SOUS LA TAMISE AVAIT SUSCITER DES REMOUS SOUTERRAINS EN QUELQUES LIEUX INATTENDUS.

SORS D'ICI !

TOUT D'ABORD DANS LE QUARTIER BENGALI DE BRICK LANE, CÔTÉ ARRIÈRE-BOUTIQUE D'UN MAGASIN DE TISSUS ET SARIS...

MAIS POURQUOI ? JE VEUX T'ÉPOUSER !

JAMAIS JE N'ÉPOUSERAI UN VOLEUR !

C'EST TOI, GOWTHAMI CHAWDA, QU'ILS VEULENT VOLER !

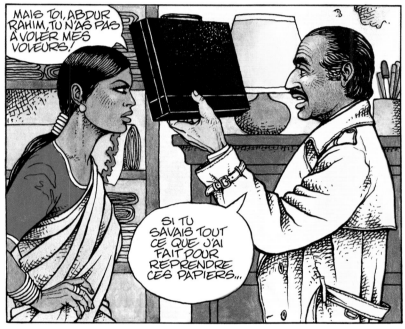

MAIS TOI, ABDUR RAHIM, TU N'AS PAS À VOLER MES VOLEURS !

SI TU SAVAIS TOUT CE QUE J'AI FAIT POUR REPRENDRE CES PAPIERS...

JE NE SOUHAITE PAS SAVOIR.

JE T'EN PRIE, JE VEUX T'ÉPOUSER !

SORS D'ICI JE TE DIS !

11

15

ET TES SALES PAPIERS AUSSI !

JE FERAI VALOIR MES DROITS SANS ME TRANSFORMER EN VOLEUSE, MOI !

MAIS SI JE NE T'AVAIS PAS CONNUE, JAMAIS CES PAPIERS N'AURAIENT ATTIRÉ MON REGARD DANS LEURS BUREAUX !

BLAM

16

ENSUITE DANS UN APPARTEMENT SQUATTÉ DE BRIXTON, JUSTE AU DESSUS DU MÉTRO. L'UN DE CES ENDROITS DÉVASTÉS OÙ TOUT LE MONDE VIT SUR UNE PENSION DE TRENTE LIVRES PAR SEMAINE ...

ALLEZ JENNIFER, LA RAMÈNE PAS, TU VEUX !

ET OÙ, SUR UN VIEUX FOND DE REGGAE, CIRCULENT PAS MAL DE SUBSTANCES RÉPRÉHENSIBLES AUX YEUX DE LA LOI ANGLAISE.

VOUS ÊTES DES SALOPARDS ! J'T'AI DÉJÀ DIT DE N'PAS ÉCOUTER MES COUPS DE FIL, AMBROSE !

BEN TU SAIS, AVEC TOUS LES BRANCHEMENTS PIRATES, ON N'A MÊME PAS FAIT EXPRÈS !

TOI, GBOGIDI, TU LA FERMES, T'ES TROP ABRUTI POUR COMPRENDRE.

ABRUTI, P'TÊT' BIEN. MAIS J'AI QUAND MÊME PIGÉ QUE LA P'TITE BENGALI D'MES DEUX ELLE ALLAIT LAISSER FILER UNE PUTAIN D'AFFAIRE.

C'EST PAS UNE AFFAIRE QU'ON CHERCHE, EH GROS LOURD !

OH ÇA VA, T'ES PAS UN POIDS PLUME TOI-MÊME !

CE QU'ON CHERCHE, C'EST DES MOYENS POUR SE **BATTRE !**

13

17

CE PREMIER MORT ALLAIT ÉGALEMENT FAIRE PARLER DE LUI DANS UNE PETITE BICOQUE DE MARCHANDS DE FRUITS ET LÉGUMES DE L'ANCIEN MARCHÉ DE SPITALFIELDS, AU MILIEU DES ODEURS D'ÉPICES ORIENTALES ET DE VIEUX CHOU BIEN BRITANNIQUE.

ALORS WINNIE COCKPURSE, TU T'GROUILLES QU'ON SE JETTE UNE PINTE DE BITTER VITE FAIT ?

DIS DONC, DAN COCKPURSE, SI T'ES PRESSÉ, T'AS QU'À AIDER AU LIEU DE LIRE TON TORCHON PLEIN DE FILLES À POIL !

AH, SOIS PAS GROSSIER EN PLUS !

MERDE !

MAIS NON, C'EST PAS À TOI QUE J'DIS ÇA POUR UNE FOIS....

C'EST À QUI ALORS ?

Y A PAS QU'DES FILLES À POIL DANS MON TORCHON, Y A AUSSI DES NOUVELLES. ÉCOUTE ÇA !

GEORGES DUNN, CHEF DU SERVICE DES LIQUIDATIONS D'HÉRITAGES CHEZ LES SCOTTISH WIDOWS A ÉTÉ RETROUVÉ MORT DANS LE TUNNEL DE GREENWICH !

15

PLUS ÉTONNANT ENCORE, CE MORT, ON EN PARLAIT DANS UNE SOMPTUEUSE RÉSIDENCE ARISTOCRATIQUE DU TRÈS CHIC QUARTIER DE BELGRAVIA...

TRÈS PRÉCISÉMENT DANS L'HÔTEL PARTICULIER À VRAI DIRE UN PEU DÉCATI DE LA REDOUTABLE ET REDOUTÉE LADY PANDORA WEIR-ABERCROMBIE.

QU'EST-CE QUE C'EST QUE CES SOTTISES, RODERICK ?

PARDON MÈRE ?

IL FAUT QUE J'APPRENNE LA DISPARITION DE GEORGE DUNN PAR VOIE DE PRESSE DANS LE "DAILY TELEGRAPH" POUR COMPRENDRE QUE VOUS NE L'AVEZ PAS RENCONTRÉ COMME PRÉVU ?

JUSTEMENT MÈRE...

SAVEZ-VOUS SEULEMENT OÙ CE MALHEUREUX A SEMBLE-T-IL ÉTÉ ASSASSINÉ ?

EH BIEN À VRAI DIRE, MÈRE...

CLINC

À QUELQUES YARDS DU SALON DE THÉ DE GREENWICH OÙ VOUS ÉTIEZ CENSÉ L'ATTENDRE !

⑰

21

MAIS MÈRE, JE L'AI ATTENDU! LONGTEMPS!

N'AGGRAVEZ PAS VOTRE CAS ET DISPARAISSEZ DE MA VUE. IL FAUT QUE JE ME CONCENTRE.

BIEN MÈRE.

MOINS ÉTONNANT, EN REVANCHE, ÉTAIT LE FAIT QU'ON EN PARLE DANS LES SOMPTUEUX BUREAUX DES VEUVES ÉCOSSAISES, AU CŒUR DE LA CITY, LÀ OÙ L'HONORABLE GEORGE DUNN AVAIT FAIT TOUTE SA CARRIÈRE SOUS LA HOULETTE DE SIR PETER OLIPHANT ET DE SON FONDÉ DE POUVOIR JAMES SUTHERLAND.

NOTRE FONDS DE RETRAITE MÊLÉ À UNE HISTOIRE CRIMINELLE, C'EST... C'EST SHOCKING!

REALLY SHOCKING, SIR PETER.

NOTRE SOCIÉTÉ D'INVESTISSEMENT ÉVOQUÉE AILLEURS QUE DANS LA RUBRIQUE BOURSIÈRE DU "FINANCIAL TIMES", C'EST IMPENSABLE!

IMPENSABLE, SIR PETER.

DITES, MOI, JAMES, DE QUOI S'OCCUPAIT CE PAUVRE GEORGE CES TEMPS-CI?

D'UNE CERTAINE SUCCESSION VEUVE CAMPBELL, JE CROIS.

RIEN D'IMPORTANT?

CETTE VEUVE... CE NE SERAIT PAS CELLE DE L'ANCIEN IMPORTATEUR DE PRODUITS EXOTIQUES PAR HASARD?

PAS À MA CONNAISSANCE.

PEUT-ÊTRE BIEN...

IL EST MORT RUINÉ, CAMPBELL, ET SA VEUVE AUSSI SANS DOUTE.

⑲

ON DISAIT MÊME QU'ELLE AVAIT TOTALEMENT PERDU LA TÊTE DANS SA MAISON DE RETRAITE, LÀ HAUT DANS LES HIGHLANDS ÉCOSSAIS, ET QU'ELLE ARRIVAIT À PEINE À PAYER LES MENSUALITÉS.

C'EST VRAIMENT UN DOSSIER QUE JE NE CONNAIS PAS.

TOC TOC

EXCUSE ME GENTLEMEN, IL EST TARD. JE PEUX NETTOYER ?

VOUS AVEZ RAISON MON BRAVE. C'EST L'HEURE D'ALLER AU CLUB.

GOOD LORD, EN EFFET !

NOUS VOUS LAISSONS LA PLACE.

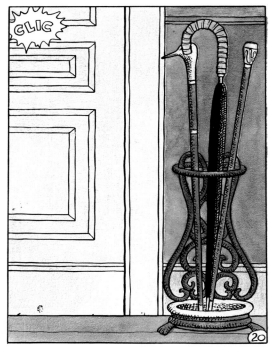

CLIC

20

DU CÔTÉ DE BRIXTON, SUR LA LIGNE DE MÉTRO QUE SES UTILISATEURS ONT REBAPTISÉE LA MISERY LINE TANT ELLE EST LENTE ET DÉGLINGUÉE, ON S'APPRÊTAIT À PARLER D'AUTRE CHOSE QUE DU PREMIER MORT SOUS LA TAMISE.

QU'EST-CE QU'Y FOUT LE MAL-BLANCHI ?

T'ES PAS OBLIGÉ D'ÊTRE RACISTE, GBOGIDI, QUAND' MÊME !

TU CROIS QU'IL A PAS SAISI NOT'MESSAGE, AMBROSE ?

FAUDRAIT ÊTRE BOUCHÉ POUR PAS COMPRENDRE QU'ON LE BALANCE AUX FLICS S'IL VIENT PAS.

ET QU'EST-CE QUI TE DIT QU'Y SONT PAS BOUCHÉS VES PAKIS ?

C'EST PAS CE QUI SE RACONTE.

SI AU MOINS Y AVAIT UN MÉTRO DE TEMPS EN TEMPS...

ATTENDS.... J'ENTENDS QUELQUE CHOSE.

STOCKW

CHARING CROSS

710

T'AS RAISON... LE V'LA.

ET V'LA ABDUR RAHIM, C'EST LUI À TOUS LES COUPS !

21

25

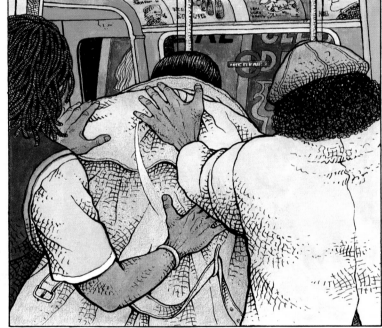

ESPÈCES DE SINGES NOIRS!

ET TOI, T'AS UNE GUEULE À SORTIR DE CAMBRIDGE, PEUT-ÊTRE ?

PERSONNE POUR LE MOMENT...

ALORS ON ESSAIE D'ÊTRE SÉRIEUX! OÙ SONT LES DOCUMENTS QUE T'AS PIQUÉS ?

COMMENT VOUS SAVEZ ÇA, D'ABORD ?

ON A LES OREILLES QUI TRAÎNENT DANS L'INFO UTILE COMME TA MOUSTACHE DANS LE RIZ AU CURRY, MON POTE!

J'AI COMPRIS, MAIS JE.... JE NE LES AI PLUS, CES DOCU-MENTS !

COMMENT ÇA, TU LES A PLUS ?

JE.... J'LES AI REVENDUS À CELUI AUQUEL ILS ÉTAIENT DESTINÉS.

ALORS, CES DOCUMENTS, TU NOUS DIS OÙ ILS SONT OU BIEN ON RACONTE À LA POLICE TON AFFAIRE DU SOUTERRAIN DES DOCKLANDS, T'AS COMPRIS ?

ET C'EST AINSI, QUELQUE PART ENTRE LES GARES DE WATERLOO ET DE CHARING CROSS, LE LONG DE LA TRISTE TRANCHÉE DE LA LIGNE DE LA MISÈRE, PAR UNE NUIT TOUT-À-FAIT COMME UNE AUTRE, QU'IL Y EUT D'UN SEUL COUP DEUX NOUVEAUX MORTS SOUS LA TAMISE DONT LES FLOTS LOURDS PASSAIENT JUSTE AU-DESSUS DES WAGONS BRINQUEBALANTS

ÇA VA PAS PLAIRE À JENNIFER C'T'HISTOIRE....

FAUDRAIT QUE J'LUI TÉLÉPHONE

AS USUAL

OUT OF ORDER

FOUTU PAYS, C'EST BIEN C'QUE J'DIS, R'GARDEZ-MOI CEUX LÀ....

AMNESIA

TELEPHONE

FOUTU PAYS! J'AURAIS MIEUX FAIT D'RESTER AU SOLEIL DE MON ÎLE....

B&B

WAY OUT

UNDER REPAIR

ENFIN....

JENNIFER? C'EST MOI, AMBROSE, Y A EU DU GRABUGE. MAIS TU POURRAS PEUT-ÊTRE EN TIRER QUELQUE CHOSE DE CLEAN TANT QU'À FAIRE MOI, JE JOUE PLUS. **TU M'ÉCOUTES** ?

À VRAI DIRE, DANS LES ÉLÉGANTES ALLÉES CAVALIÈRES DE KENSINGTON GARDENS, ON N'ALLAIT PAS PARLER DES DERNIERS MORTS SOUS LA TAMISE, MÊME SI LEUR DISPARITION N'ÉTAIT PAS ÉTRANGÈRE AUX PROPOS ÉCHANGÉS.

JE VOUS ASSURE QUE C'EST ÇA QU'IL À DIT !

AÏE !

IMPOSSIBLE MISS STOUTE, ABSOLUMENT IMPOSSIBLE !

CRISSH

PARCE QUE SI C'ÉTAIT MOI QUI AVAIS CES DOCUMENTS, MA MÈRE... LADY PANDORA WEIR-ABERCROMBIE, DIEU LA BÉNISSE, MA MÈRE NE ME HURLERAIT PAS DES-SUS À LONGUEUR DE JOURNÉE !

ET POURQUOI DONC ?

C'EST POURTANT CE QU'À DIT CELUI QUI A RÉCU-PÉRÉ CES DOCUMENTS AUPRÈS DE L'HOMME CHAR-GÉ DE VOUS LES REMETTRE.

VOUS VOULEZ DIRE VOLÉ À L'HOMME QU'IL A TUÉ ?

SI VOUS Y TENEZ...

EH BIEN, IL N'EN EST RIEN, MALHEU-REUSEMENT POUR MOI. SAVEZ-VOUS QUE MA MÈRE... LADY PANDORA WEIR-ABERCROMBIE ...

OUAIS... OUAIS... JE SAIS... DIEU LA BÉNISSE... C'EST ÇA ?

NON, VRAIMENT... VOUS, VOUS N'ÊTES PAS OBLIGÉE DE DIRE CELA, ENFIN BREF, SAVEZ-VOUS QU'ELLE M'A MENACÉ DE VENDRE SAPHIRE MON ALEZAN SI JE NE RETROUVAIS PAS CES FAMEUX DOCUMENTS ?

PAS UNE MAUVAISE IDÉE, ÇA !

AÏE !

27

31

PARDON MISS?

VOUS TROUVEZ DIGNE D'UN GENTLEMAN DE ME FAIRE PIÉTINER DERRIÈRE VOTRE BOURRIN EN PARLANT DE CHOSES AUSSI COMPLIQUÉES?

AH, EXCUSEZ-MOI, JE SUIS TROUBLÉ EN CE MOMENT. COMME J'AVAIS BESOIN D'UN PRÉTEXTE POUR SORTIR ET QUE SAPHIRE DEVAIT ÊTRE DÉTENDU, C'EST POUR ÇA QUE JE VOUS AI PROPOSÉ CE RENDEZ-VOUS QUI...QUE...

ÇA SERAIT PAS AUSSI QUE VOUS ME PRENEZ UN PEU POUR UNE SORTE DE PALEFRENIÈRE DE COULEUR, PAR HASARD, NON?

NON, VRAIMENT!

PERMETTEZ-MOI!

?

JE VOUS INVITE À MONTER SAPHIRE, IL EST TRÈS DOCILE ET JE LE MÈNERAI À LA BRIDE.

POURQUOI PAS?

IL FAUT QU'ON DISCUTE ENCORE UN PEU.

DISCUTER DE QUOI, HÉLAS?

28

DU FAIT QUE LE VOLEUR...

VOUS VOULEZ DIRE L'ASSASSIN...

OUI, PEU IMPORTE... DISCUTER DU FAIT QU'IL N'A PEUT-ÊTRE TOUT SIMPLEMENT PAS EU LE TEMPS DE FAIRE CE QU'IL VOULAIT FAIRE...

COMMENT CELA ?

C'EST À DIRE QUE CES DOCUMENTS, ILS SONT PEUT-ÊTRE ENCORE CHEZ LUI, TOUT BÊTEMENT.

IL FAUDRAIT MONTER UNE PETITE EXPÉDITION POUR ALLER LES RECHERCHER

ET ALORS ?

OH !

MMM... JE VOIS... J'AI PEUT-ÊTRE DES GENS POUR ÇA... DES GENS QUI ONT INTÉRÊT COMME VOUS ET MOI À LES RETROUVER, CES DOCUMENTS.

EH BIEN, SIR RODERICK, COMMENT VOYEZ-VOUS LES CHOSES ?

WELL, MISS STOUTE, VOICI MA PROPOSITION.

29

LE SOIR-MÊME, DANS UN IMMEUBLE ANONYME DE DULWICH, SUR LES FAUBOURGS SUD-EST DE L'IMMENSE VILLE AUX INNOMBRABLES QUARTIERS, LES DEUX DERNIERS MORTS SOUS LA TAMISE, ET AUSSI LE PREMIER—OU DU MOINS CE QUI RESTAIT DE LUI— CONTINUAIENT DE PRODUIRE LEURS EFFETS...

QUEL BAZAR LÀ DEDANS...

BLOODY... ?!!

BANG

LES ÉPICES, ÇA, J'AIME BIEN...

CHUTNEY

INDIAN MANGO

BASMATI RICE

MAIS LE RESTE, J'AIME PAS...

ET CE MANNEQUIN, QU'EST-CE QU'IL FOUT LÀ ?

OÙ C'EST QU'IL A BIEN PU FOURRER CES PAPERASSES ?

WITH ATTENTIO

MERDE !

BONC

34

LE LENDEMAIN MATIN SE TROUVAIT ÊTRE UN DIMANCHE. CLIMAT IDÉAL POUR UNE PROMENADE EN BARQUE SUR LA TAMISE, UN PEU EN AMONT DE LONDRES, MALGRÉ UNE MÉTÉO CAPRICIEUSE ET FRISQUETTE ? TOUT LE MONDE NE PENSAIT PAS AINSI...

QUELLE IDÉE !

NON MAIS QUELLE IDÉE IL A EUE, LE FILS WEIR-ABERCROMBIE !

ÇA M'DONNE LE TOURNIS, MOI, TOUTE CETTE FLOTTE !

MAIS NON, R'GARDE ! SI J'VEUX J'PEUX M'TENIR DROITE, MOI !

FAIS PAS L'IMBÉCILE, WINNIE COCKPURSE !

ON A PEUT-ÊTRE UN PEU ABUSÉ DES PINTES DE BITTER HIER SOIR, TU CROIS PAS ?

CLAC

OUPS !

ASSIED TOI, J'TE DIS !

PARCE QUE C'TE SALETÉ D'BARCASSE DE LOCATION, ELLE VEUT PAS SE TENIR DROITE, ELLE, VOILÀ C'QUI EST SÛR !

ALLEZ, RAME ET TAIS-TOI !

LES ARBRES MAINTENANT !

ET LA PLUIE, AUSSI....

ICI !

AH !

?

CLAC

AH, J'M'EN SOUVIENDRAI DE SON RENDEZ-VOUS DISCRET.

OÙ C'EST QU'Y PEUT BIEN ÊTRE ?

EH BEN, SIR RODERICK, C'EST PAS TROP TÔT !

POURQUOI ? VOILÀ UN VRAI TEMPS DE WEEK-END ANGLAIS, PARFAIT POUR LE CANOTAGE, NON ?

QUAND ON SAIT PAS NAGER, Y A JAMAIS DE TEMPS PARFAIT POUR LE CANOTAGE.

EXCUSEZ-LE, SIR RODERICK, MAIS....

MA MÈRE, LADY PANDORA....

DIEU LA BÉNISSE....

OUI, C'EST CELA, Mrs COCKPURSE, DIEU LA BÉNISSE. EH BIEN MA MÈRE, LADY PANDORA REGRETTE TOUJOURS QUE LES CLASSES POPULAIRES SE CONSACRENT TROP AU FOOTBALL ET PAS ASSEZ À LA NATATION.

DITES DONC, SIR RODERICK, SAUF VOT'RESPECT, LES DISCUSSIONS MONDAINES, J'TROUVE QUE C'EST VRAIMENT PAS LE LIEU, ICI. ON EST EN PLEIN DÉLUGE !

EXACT, MON CHER DAN, DÉJÀ, QUAND J'ÉTAIS ENFANT ET QUE VOUS VOUS OCCUPIEZ DU JARDIN POTAGER DE NOTRE ANCIENNE PROPRIÉTÉ DES HIGHLANDS, HÉLAS DISPARUE DEPUIS....

VOTRE BON SENS FACE AUX CHOSES DE LA NATURE ME FRAPPAIT, SI, SI.

N'EMPÊCHE, SIR RODERICK, MON DAN, IL A PAS TORT, ON N'Y VOIT QUASIMENT PLUS RIEN!

ET DEDANS?

DES PAPIERS TRÈS INTÉRESSANTS.

BIEN. PARLONS AFFAIRES, WINNIE. QU'AVEZ-VOUS TROUVÉ?

ÇA!

EH!

HOLA!

CRASH

VOUS DEVRIEZ ME DONNER CET ATTACHÉ-CASE AVANT QU'IL TOMBE À L'EAU.

D'ACCORD, MAIS ON VEUT DES GARANTIES.

DONNEZ, WINNIE, DONNEZ!

ET POUR LES GARANTIES SUR LE PARTAGE DU PACTOLE, VOUS AVEZ MA PAROLE DE GENTLEMAN, WINNIE.

MERCI SIR RODERICK. MAIS JE TIENS À VOUS DIRE QU'EN PLUS DE VOTRE PAROLE, J'AI AUSSI DES DOUBLES.

AU SEC...

CRAAC

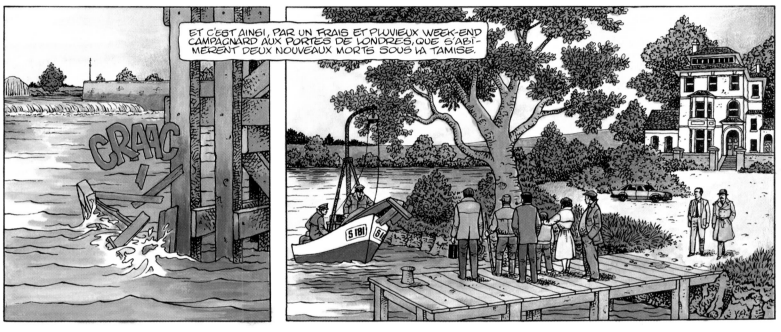

ET C'EST AINSI, PAR UN FRAIS ET PLUVIEUX WEEK-END CAMPAGNARD AUX PORTES DE LONDRES, QUE S'ABÎMÈRENT DEUX NOUVEAUX MORTS SOUS LA TAMISE.

ÇA FAIT VINGT ANS QUE JE PÊCHE ICI, ET JE PEUX VOUS DIRE QU'À CET ENDROIT, ILS NE RETROUVERONT JAMAIS LES CORPS.

MA MÈRE, LADY PANDORA, DÉPLORE QUE LES CLASSES POPULAIRES SE CONSACRENT TROP AU FOOTBALL, ET PAS ASSEZ À LA NATATION.

DIEU BÉNISSE VOTRE MÈRE, MONSIEUR. ELLE A RAISON.

OUI, EN GÉNÉRAL, ELLE A RAISON.

LE LENDEMAIN MATIN, SUR L'UN DES CATAMARANS ULTRA-RAPIDES QUI FONT LE TAXI ENTRE CHELSEA ET LE PETIT AÉROPORT DES DOCKLANDS, LE FONDÉ DE POUVOIR DES VEUVES ÉCOSSAISES DISCUTAIT FERME AVEC LE REPRÉSENTANT PERSONNEL DE LADY WEIR-ABERCROMBIE.

DÉSOLÉ DE VOUS AVOIR PRIS AINSI AU SAUT DU LIT, Mr SUTHERLAND. J'ESPÈRE NE PAS VOUS FAIRE RATER VOTRE AVION.

CE N'EST PAS L'AVION QUI ME TRACASSE. NOUS SOMMES DANS LES TEMPS. C'EST VOTRE ATTITUDE QUE JE NE COMPRENDS PAS, MONSIEUR.

MON ATTITUDE ? VOUS NE MANQUEZ PAS DE CULOT, Mr SUTHERLAND ! LE DOSSIER DE LA SUCCESSION CAMPBELL, ÇA NE VOUS DIT RIEN ?

C'EST LE REGRETTÉ GEORGE DUNN QUI S'EN OCCUPAIT POUR LES SCOTTISH WIDOWS, DU DOSSIER CAMPBELL, PAS MOI.

OH, MAIS VOUS AVEZ DÛ TRÈS VITE COMPRENDRE QU'IL POSAIT UN PROBLÈME, CE DOSSIER ! D'AILLEURS, MAINTENANT QUE LE REGRETTÉ GEORGE DUNN N'EST PLUS, QUI VA S'EN OCCUPER ?

EUH,... MOI, SI L'ON VEUT. MAIS L'UNIQUE PATRON DE NOTRE INSTITUTION N'EST AUTRE QUE SIR PETER OLIPHANT COMME VOUS LE SAVEZ PEUT-ÊTRE.

JE LE SAIS PARFAITEMENT, Mr SUTHERLAND.

MA MÈRE LE SAIT AUSSI. LADY PANDORA ME RACONTAIT D'AILLEURS HIER SOIR QU'ELLE DEVAIT RENCONTRER SIR PETER À UNE GARDEN-PARTY ORGANISÉE PAR LA FAMILLE ROYALE LA SEMAINE PROCHAINE, ET QU'ELLE ENVISAGEAIT DE ...

RENCONTRER SIR PETER ...JE... EUH...

VOUS... EUH...QUOI EXACTEMENT ?

SORTONS D'ICI, VOULEZ-VOUS. VOUS N'AVEZ PAS PEUR DE L'EAU, J'ESPÈRE ?

MOI ? OH NON. MA MÈRE EST TRÈS FÉRUE DE NATATION POUR LES ENFANTS, ET VOUS ?

J'AI ÉTÉ CHAMPION UNIVERSITAIRE DE BRASSE PAPILLON QUAND J'ÉTAIS À OXFORD.

COMME C'EST INTÉRESSANT !

J'ATTENDS QUE VOUS CHANGIEZ LE NOM DE LA BÉNÉFICIAIRE SUR LE TESTAMENT CAMPBELL!

QU'ATTENDEZ-VOUS DE MOI EXACTEMENT?

GOWTHAMI CHAWDA.

AH, VOUS VOYEZ QUE VOUS NE LE CONNAISSEZ PAS SI MAL, CE DOSSIER!

DE TOUTE FAÇON, POURQUOI CETTE FEMME BEN-GALI.... COMMENT S'APPELLE-T-ELLE DÉJÀ?

ET POURQUOI CETTE GOWTHAMI CHAWDA EST-ELLE COUCHÉE SUR DES PAPIERS D'UNE IMPORTANCE PA-REILLE? JE VOUS LE DEMANDE, N'EST-CE PAS! CAR QUI ÉTAIT L'AMIE LA PLUS INTIME DE LA VEUVE CAMPBELL, DU TEMPS DE SA SPLEN-DEUR, SINON MA MÈRE, LADY PANDORA?

DITES-MOI, JEUNE HOMME, JE PEUX VOUS POSER UNE QUESTION À MON TOUR?

SI VOUS VOULEZ, MON VIEUX.

SAVEZ-VOUS QUEL ÉTAIT L'AMI LE PLUS INTIME DE GEORGE DUNN DU TEMPS DE SA SPLENDEUR, LORSQU'IL ÉTAIT CHEF DU SERVICE DES LIQUIDATIONS D'HÉRI-TAGES CHEZ LES SCOT-TISH WIDOWS?

AUCUNE IDÉE, MON VIEUX.

EH BIEN, FIGUREZ-VOUS QUE C'ÉTAIT MOI, FONDÉ DE POUVOIR DE SIR PETER OLIPHANT DANS LA MÊME MAISON. ET JE VAIS VOUS DIRE QUELQUE CHOSE MON PETIT MONSIEUR!

VOUS NE NAGEZ PAS SI BIEN QUE CELA, JEUNE HOMME. CETTE PETITE VALISE VOUS GÊNE.

BOUCLEZ-LA.... PFFF...VOULEZ-VOUS.

NG 120

MA.... PFFF...MÈRE VA ÊTRE... PFFF...FURIEUSE. ET QUAND LADY... PFFF...PANDORA EST FURIEUSE....PFFF...ELLE EST CAPABLE....PFFF... DE TOUT !

JE VOUS ASSURE QUE ÇA IRA MIEUX SANS.

EH !

SIR RODERICK, ATTENTION !

?!

PONK

POOR FELLOW, PAS SYMPATHIQUE, MAIS IL NE MÉRITAIT PAS CELA.

MÉRITAIT-IL LUI AUSSI DE FINIR DÉCHIQUETÉ AU FOND DE LA TAMISE PAR L'HÉLICE D'UNE BARGE, L'HÉRITIER WEIR-ABERCROMBIE, EN QUÊTE D'UN HÉRITAGE POUR LADY PANDORA, SA MÈRE ? LE FONDÉ DE POUVOIR DES VEUVES ÉCOSSAISES N'ALLAIT MÊME PAS AVOIR LE LOISIR DE S'INTERROGER SUR CE SUJET POURTANT MORAL...

45

EN EFFET, TANDIS QU'IL FINISSAIT D'ESCALADER DIFFICILEMENT LE VIEUX PONTON GLISSANT D'UN ENTREPÔT DÉSAFFECTÉ DES DOCKLANDS...

MAINS EN L'AIR, Mr SUTHERLAND!

?!

J'AI TOUT VU ET JE SUIS FURIEUSE Mr SUTHERLAND, VOUS AVEZ TUÉ MON FILS, JE LE CRAINS!

LADY PANDORA WEIR-ABERCROMBIE! MAIS QUE FAITES-VOUS LÀ MADAME?

J'AVAIS JUSTEMENT RENDEZ-VOUS ICI AVEC RODERICK FIGUREZ-VOUS!

ICI MÊME, À CET ENDROIT QUI BIENTÔT M'APPARTIENDRA!

JE NE COMPRENDS PAS...

VOUS NE SAVEZ PAS LIRE, Mr SUTHERLAND? C'EST ENNUYEUX POUR QUELQU'UN QUI S'OC-CUPE DE TESTA-MENTS. REGARDEZ PLUTÔT AU-DESSUS DE VOTRE TÊTE.

GOOD LORD! L'ENTREPÔT CAMPBELL! JE N'Y ÉTAIS JAMAIS VENU!

J'ESPÈRE EN REVANCHE QUE VOUS SAVEZ ÉCRIRE, PARCE QU'IL VA FALLOIR OPÉRER QUELQUES RETOUCHES SUR DES PAPIERS GRIBOUILLÉS PAR UNE VIEILLE FOLLE. DONNEZ-MOI CES DOCUMENTS!

48

C'EST LÀ, JENNIFER !

T'ES SÛRE ?

QU'EST-CE QU'EST ÉCRIT, MESDEMOISELLES ?

QUELQUE CHOSE QUI NOUS REGARDE, MADAME, SOIT DIT SANS VOUS OFFENSER.

CAMPBELL DOCK

T'AS RAISON ! CAMPBELL ! C'EST ÉCRIT !

CERTAINE. ABDUR RAHIM M'AVAIT TRÈS BIEN EXPLIQUÉ OÙ ÇA SE TROUVAIT.

CE QUI EST ICI ME REGARDE MOI, PUISQUE J'EN SUIS PROPRIÉTAIRE !

ATTENDEZ M'DAME, LÀ Y DOIT Y AVOIR ERREUR.

ET ÇA, C'EST UNE ERREUR ? TOUT EST LÀ-DEDANS, **TOUT** !

L'ATTACHÉ-CASE QUE M'A MONTRÉ ABDUR, JE LE RECONNAIS !

QUI VOUS ÊTES, M'DAME ?

LADY PANDORA WEIR-ABERCROMBIE ! ET JE VOUS CONSEILLE DE DISPARAÎTRE RAPIDEMENT D'ICI TOUTES LES DEUX. JE N'AI RIEN CONTRE LES GENS DE COULEUR, MAIS QUAND JE SUIS FURIEUSE...

JE SUIS CAPABLE DE TOUT. C'EST CE QUE ME DISAIT TOUJOURS HENRIETTA CAMPBELL QUAND NOUS ÉTIONS JEUNES.

VOUS AVEZ TORT, M'DAME, ON NE VOUS VEUT AUCUN MAL.

J'AI DES DROITS MOI AUSSI, ET JE LES FERAI VALOIR !

ET C'EST AINSI QUE LE FLOT BOUEUX DE L'IMMENSE FLEUVE S'EN ALLANT VERS LA MER S'EMPARA DU DERNIER CORPS DES MORTS SOUS LA TAMISE...

JENNIFER, MA PETITE JENNY, COMMENT TU VAS?

RIEN DE GRAVE.

...UN MORT QUI SE TROUVAIT ÊTRE UNE MORTE! MAIS QU'EST-CE QUE CELA CHANGEAIT À L'AFFAIRE?

POOON POOON

QU'EST-CE QUI SE PASSE LÀ-DEDANS?

PO37M10

VOUS POUVEZ NOUS EXPLIQUER ÇA, TOUTES LES DEUX? EN MOINS D'UN QUART D'HEURE, TROIS PERSONNES MORTES SOUS LA TAMISE? ON EST DANS UN PAYS CIVILISÉ, QUAND MÊME!

ON PEUT PAS VOUS EXPLIQUER, PAS VRAIMENT...

NON, FRANCHEMENT...

J'AI TROUVÉ CE TRUC EN BAS DU PONTON, ET AUSSI DES TRACES DE SANG.

ON VOUS EMBARQUE.

BONNE IDÉE!

EH, TU DÉCONNES GOWTHAMI?

MAIS NON. C'EST VRAI QUE LE MOMENT DES EXPLICATIONS EST VENU. MOI J'Y TIENS, EN TOUT CAS.

NOUS AUSSI, ÇA TOMBE BIEN, MONTEZ!

ON VA VOUS SOIGNER, VOUS EN FAITES PAS.

AÏE!

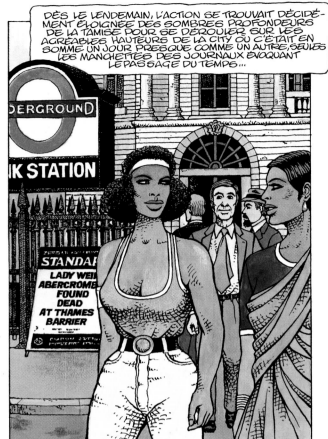

DÈS LE LENDEMAIN, L'ACTION SE TROUVAIT DÉCIDÉMENT ÉLOIGNÉE DES SOMBRES PROFONDEURS DE LA TAMISE POUR SE DÉROULER SUR LES AGRÉABLES HAUTEURS DE LA CITY OÙ C'ÉTAIT EN SOMME UN JOUR PRESQUE COMME UN AUTRE, SEULES LES MANCHETTES DES JOURNAUX ÉVOQUANT LE PASSAGE DU TEMPS...

DERGROUND

NK STATION

STANDAR

LADY WEI... ABERCROMB... FOUND DEAD AT THAMES BARRIER

AÏE! ME TOUCHEZ PAS, VOUS!

ELVIN

UN RENDEZ-VOUS ICI ? VOUS DEVEZ FAIRE ERREUR.

COMMENT ÇA, ERREUR ?

SCOTTIS

27

VOUS N'ÊTES PAS ÉCOSSAISES ?

PAS VRAIMENT.

NI VEUVES ?

ON A CONNU QUELQUES DISPARUS CES TEMPS-CI, MAIS...

LOYDS BANK

...MAIS CES MESSIEURS ÉTAIENT-ILS ÉCOSSAIS EUX-MÊMES ?

C'EST À DIRE...

LAISSEZ MON BRAVE, CES DEUX DAMES ONT EFFECTI- VEMENT RENDEZ-VOUS AVEC MOI.

SIR PETER, JE!!!

C'EST PAR LÀ.

...JE NE POUVAIS PAS CROIRE...

ENTREZ MESDAMES.

J'AI CRU COMPRENDRE QUE VOUS FAISIEZ TOUTES LES DEUX PARTIE D'UN COMITÉ D'ACTION RÉUNIS- SANT DES FEMMES DE TOUTES LES MINO- RITÉS REPRÉ- SENTÉES À LONDRES ?

C'EST LÀ QU'ON S'EST RENCONTRÉES AVEC JENNIFER, OUI.

INSTALLEZ- VOUS.

C'EST PAS MAL, ICI.

NON, EXCUSEZ-MOI,... JE NE SUIS PAS HABITUÉ À RECEVOIR DES JEUNES FEMMES ICI. PLUTÔT DES TRÈS TRÈS VIEILLES, OU ALORS LEURS HOM- MES D'AFFAIRES.

FAUT PAS VOUS EN FAIRE, ON VA PAS VOUS MANGER.

CE QU'ELLE NE VOUS DIT PAS, GOWTHAMI, C'EST QU'ELLE EST LA PRÉSIDENTE CETTE ANNÉE.

BRAVO! CIGARE ?

JE SUIS EN TOUT CAS HEUREUX QUE VOUS AYEZ DES RESPONSABILITÉS DANS UN MOUVEMENT SOCIAL, PARCE QUE MES EXPLICATIONS VONT PARFOIS ÊTRE UN PEU TECHNIQUES.

FAUT PAS VOUS EN FAIRE, JE VOUS DIS, ON N'EST PAS NON PLUS DES DEMEURÉES. D'AILLEURS, J'EN VEUX BIEN UN, DE CIGARE.

43

53

JE VOUS ÉCOUTE, MONSIEUR.

OH, EXCUSEZ-MOI.

CE PAUVRE VIEUX GEORGE DUNN AVAIT DEPUIS QUELQUE TEMPS DE GROS BESOINS D'ARGENT QUE J'IGNORAIS... LES FEMMES, JE CROIS...

ÇA, ÇA DEVAIT CRAINDRE, LES FEMMES, SI CE PAUVRE VIEUX GEORGE RESSEMBLAIT À CE QUE J'IMAGINE D'APRÈS LE STYLE D'ICI.

VOICI CE QUI S'EST PASSÉ, SELON MOI.

QU'ENTENDEZ-VOUS PAR "LE STYLE D'ICI", MISS STOUTE ?

TAIS-TOI JENNIFER, TU VEUX ? ON NOUS EXPLIQUE DES CHOSES IMPORTANTES.

D'ACCORD...

IL FAUT BIEN QUE VOUS COMPRENIEZ QUE LE NOM DE LADY WEIR-ABERCROMBIE ÉTAIT **EFFECTIVEMENT** PORTÉ SUR CERTAINS DOCUMENTS, MISS CHAWDA.

PUFFFF

JE SAIS, J'AI LU LE CONTENU DE L'ATTACHÉ-CASE.

DES DOCUMENTS D'AILLEURS SUJETS À CAUTION PUISQU'ON PEUT SE DEMANDER SI LADY PANDORA N'AVAIT PAS UN PEU TENU LA MAIN DE SA VIEILLE AMIE HENRIETTA CAMPBELL LORS D'UNE VISITE À LA MAISON DE RETRAITE OÙ LA VEUVE TERMINAIT SES JOURS.

À VRAI DIRE, LES WEIR-ABERCROMBIE ÉTAIENT RUINÉS DEPUIS LONGTEMPS, ET LEUR UNIQUE BIEN, LEUR HÔTEL PARTICULIER DE BELGRAVIA EST LOURDEMENT HYPOTHÉQUÉ. MAIS LA FORTUNE DES CAMPBELL RÉALISÉE À L'ÉPOQUE OÙ ILS VIVAIENT AU BENGALE, PUIS LORS DE LEUR RETOUR EN ANGLETERRE, S'ÉTAIT ÉVAPORÉE ELLE AUSSI.

IL NE LEUR RESTAIT PLUS QU'UN DOCK DÉLABRE SUR LE FLEUVE, CELUI OÙ ILS ENTREPOSAIENT JADIS LEURS IMPORTATIONS D'ÉPICES ET FRUITS EXOTIQUES. AUCUNE VALEUR.

VOUS VOULEZ DIRE AUCUNE VALEUR **AVANT** LA FOLLE SPÉCULATION QUI S'EST EMPARÉE DU QUARTIER DES DOCKLANDS ?

BIEN SÛR, MISS CHAWDA, ET C'EST LÀ OÙ APPARAISSENT TOUTES SORTES DE GENS QUE VOUS CONNAISSEZ.... OU PAS.

PAR EXEMPLE, WINNIE ET DAN COCKPURSE, MARCHANDS DE FRUITS ET LÉGUMES À SPITALFIELDS.

ON CONNAÎT PAS.

VOICI LEUR PHOTO. ANCIENS JARDINIERS DE LADY PANDORA, APRÈS LA VENTE DE LA PROPRIÉTÉ WEIR-ABERCROMBIE DANS LES HIGHLANDS ÉCOSSAIS....

LES COCKPURSE, SANS DOUTE SUR LA RECOMMANDATION DE LEUR ANCIENNE PATRONNE, AVAIENT ENSUITE TRAVAILLÉ AUX DOCKS CAMPBELL. C'EST TOUJOURS EUX, LÀ.

ILS ONT TRÈS VITE SENTI QUE L'ENDROIT ALLAIT PRENDRE UNE VALEUR FANTASTIQUE, ET C'EST PROBABLEMENT EUX QUI ONT POUSSÉ LADY PANDORA À FORCER LA MAIN DE LA VIEILLE DAME CAMPBELL.

ET MOI, QUAND EST-CE QUE J'APPARAIS LÀ-DEDANS ?

LORSQUE LA VIEILLE DAME CAMPBELL, DANS UN ACCÈS DE LUCIDITÉ, DÉCOUVRE QU'ELLE A FAIT DON DE SON ULTIME POSSESSION À UNE LADY QUI TOUTE SA VIE L'A FAIT TOURNER EN BOURRIQUE.

ELLE SE SOUVIENT DE VOTRE FAMILLE QUI A ÉTÉ À SON SERVICE AVEC UN DÉVOUEMENT PARFAIT DURANT PRÈS D'UN QUART DE SIÈCLE...

DANS CETTE DEMEURE DU BENGALE DONT J'AI ICI UNE PHOTO

ATTENDEZ.... ICI, C'EST... C'EST...

ICI, C'EST MOI, JE DEVAIS AVOIR CINQ ANS. C'ÉTAIT LA PREMIÈRE FOIS QU'ON ME PRENAIT EN PHOTO. AUTOUR, C'EST MA FAMILLE.

DEPUIS, ILS SONT TOUS MORTS DANS LES INONDATIONS DU BENGLA-DESH.

OUI. ET C'EST COMME CELA QUE VOUS ÊTES DEVENUE L'HÉRITIÈRE DIRECTE DE Mrs. CAMPBELL!

SEULEMENT, COMME GEORGE DUNN IGNORAIT VOTRE PRÉSENCE À LONDRES, IL A CRU ASTUCIEUX DE NÉGOCIER AVEC LADY PANDORA. MODIFIER DES DOCUMENTS DÉSORDONNÉS NE PRÉSENTAIT PAS DE DIFFICULTÉS CONSIDÉRABLES PUISQUE LES RISQUES DE PROTESTATIONS DES BÉNÉFICIAIRES ÉTRANGERS ÉTAIENT NULS, CROYAIT-IL.

EN REVANCHE, L'ENJEU, LUI, A' CHAQUE MOIS QUI PASSAIT DANS LES DOCKLANDS DEVENAIT PLUS CONSIDÉRABLE.

ET C'EST LE MOMENT OÙ INTERVIENT ABDUR RAHIM, JE PARIE ?

TRÈS JUSTE. UN SOIR OÙ IL FAISAIT LE NETTOYAGE ICI MÊME, IL A DÛ APERCEVOIR LE NOM DE VOTRE AMIE PAR HASARD.

INUTILE DE VOUS DIRE QUE LES PATRONYMES BENGALIS NE SONT..."HEM..." PAS TRÈS FRÉQUENTS, ICI.

ET LES JAMAÏCAINS, ILS NE DOIVENT PAS PULLULER NON PLUS, HEIN ?

EXCUSEZ-MOI, MAIS JE VOUS RAPPELLE QUE CETTE MAISON EST CELLE DES VEUVES ÉCOSSAISES, MISS STOUTE.

OUAIS, FACILE.

PAUVRE ABDUR, IL A CRU BIEN FAIRE EN VOLANT CES DOCUMENTS. IL NE COMPRENAIT PAS QUE ÇA NE POUVAIT QUE ME LE FAIRE DÉTESTER. JE NE VOULAIS RIEN FAIRE D'ILLÉGAL.

MES DEUX LASCARS À MOI, QUAND ILS ONT SURPRIS NOT' CONVERSE À CE SUJET, C'EST PAS L'ILLÉGAL QUI LEUR A FAIT PEUR. PAUV' CLOCHES.

VOUS AVEZ DES LASCARS, MISS STOUTE ?

53

HUM.... EXCUSEZ-MOI MISS CHAWDA, JE POURSUIS. CE QUI EST CERTAIN, VOYEZ-VOUS, C'EST QU'EN DÉPIT DE QUELQUES RATURES MALENCONTREUSES SUR DES TESTAMENTS SUCCESSIFS, VOUS ÊTES DÉSORMAIS LA SEULE HÉRITIÈRE DE MISS CAMPBELL.

M'EN RESTE PLUS QU'UN, ET ENCORE....

C'EST SUPER, ÇA, NON ?

J'AI DES IDÉES.

ON PEUT SAVOIR LESQUELLES, MISS CHAWDA ?

MAINTENANT, IL Y A TROP D'APPARTEMENTS POUR YUPPIES ET DE LOFTS POUR PUBLICITAIRES DANS CE QUARTIER.

JE VAIS DONC CONSERVER LE DOCK CAMPBELL, ET L'AMÉNAGER POUR EN FAIRE UN LIEU DE RENCONTRES ET DE SPECTACLES DES CULTURES MINORITAIRES DE LONDRES.

BRAVO, MISS CHAWDA, VOILÀ UNE BONNE ET GÉNÉREUSE IDÉE ! ET JE SUIS CERTAIN QUE JE POURRAI MÊME VOUS AIDER À TROUVER DES SUBVENTIONS.

OUAIS, BRAVO !

QUELQUES JOURS PLUS TARD, QUELQUE PART **SUR** LA TAMISE, IL N'Y AVAIT JAMAIS EU AUTANT DE VIVANTS DANS LES PARAGES DEPUIS QUE LE DOCK CAMPBELL AVAIT ABANDONNÉ LES ÉPICES ET LES FRUITS EXOTIQUES, BIEN DES ANNÉES AUPARAVANT.

QUANT À CEUX, INNOCENTS OU COUPABLES, ROUBLARDS OU NAÏFS, BLANCS OU COLORÉS, NOBLES OU IGNOBLES, CEUX QUI GISAIENT MORTS EN D'AUTRES ENDROITS **SOUS** LA TAMISE, DIEU LES BÉNISSE, Y COMPRIS LADY PANDORA...

SERIEZ-VOUS PRÊTE À RÉPONDRE À UNE INTERVIEW CONCERNANT VOS PROJETS, MISS CHAWDA?

ALLONS-Y!

BEN DIS DONC, JENNIFER, VOUS ÊTES DRÔLEMENT CÉLÈBRES TOUTES LES DEUX!

TIENS, TU T'INTÉRESSES AUX HISTOIRES DE GONZESSES MAINTENANT? EH BEN PAS DE CHANCE...

POURQUOI?

PASQUE J'AI AUT' CHOSE À FAIRE QUE D'RÉPONDRE À TES QUESTIONS, PAUV' POMME.

56

JE CRAINS QUE ÇA VA CRAINDRE, MONSIEUR, SI VOUS ME PASSEZ L'EXPRESSION...

EN ROUTE GEORGE!

?

VERN

FIN

CHRISTIN

60